La brave et la brute

Nancy Wilcox Richards

Illustrations de David Sourwine

Texte français de
Marie-Josée Brière

Éditions
■SCHOLASTIC

Catalogage avant publication de Bibliothèque et Archives Canada
Richards, Nancy Wilcox, 1958-
[How to handle a bully. Français]
    La brave et la brute / Nancy Wilcox Richards ; illustrations de David
Sourwine.

Traduction de: How to handle a bully.
ISBN 978-0-545-98598-7

    I. Sourwine, David II. Titre. III. Titre: How to handle a bully. Français.

PS8585.I184H69414 2009   jC813'.54   C2009-905495-7

Édition publiée par les Éditions Scholastic, 604, rue King Ouest, Toronto
(Ontario) M5V 1E1

5 4 3 2 1   Imprimé au Canada   121   10 11 12 13 14

**Autres livres de
Nancy Wilcox Richards :**

La belle et la brute
Le bon et la brute

À maman qui m'a raconté ses démêlés avec une brute et à papa qui a pris un deuxième emploi pour pouvoir m'offrir mon premier vélo à deux roues.

— N.W.R.

Chapitre 1

Je m'appelle Marie-Camille. Mais mes amis m'appellent Mamille, c'est plus court. Je suis en troisième année. Dans deux mois, ce sera les vacances d'été. Et ensuite, la quatrième année. Je trouve ça excitant de passer en quatrième année, mais en même temps, je suis un peu nerveuse. Ce que j'aime le plus, en troisième année, c'est Mme Martin : la prof préférée de tous. En plus, elle ne donne jamais de devoirs les fins de semaine. Et puis, je suis très contente d'être avec mes amis, Thomas, Laurence et Nicolas. Ce que j'aime moins, c'est que les maths sont superdifficiles et qu'il faut faire le ménage dans la cour d'école. C'est vraiment dégoûtant d'avoir à ramasser les déchets à moitié pourris.

La quatrième année ne s'annonce pas facile. Je sais déjà qu'on aura beaucoup plus de devoirs. Et qu'est-ce que je vais faire si aucun de mes amis n'est dans ma classe? Mais le pire, c'est M. Deschamps. Les élèves l'appellent M. Méchant parce que, quand il crie, toute l'école l'entend. En plus, il donne plein de retenues. J'espère que je ne serai pas dans sa classe.

Ce matin, Mme Martin nous a tous réunis, comme elle le fait tous les jours pour nous dire ce qu'il y a d'important dans la journée, par exemple si on a musique ou éduc. Parfois, elle nous annonce une nouvelle règle de l'école. Et souvent, elle commence par une devinette. C'est le moment que je préfère.

– Bonjour, tout le monde! a dit Mme Martin en souriant.

Elle s'est arrêtée un instant et elle a jeté un coup d'œil vers le côté de la classe.

– Je vais attendre un instant, le temps que Bibiane se joigne à nous.

Vingt-deux paires d'yeux se sont tournées vers Bibiane pendant qu'elle cachait quelque chose dans son pupitre et se dépêchait de venir s'asseoir avec nous sur le tapis.

– Bon, a poursuivi Mme Martin en brandissant

une feuille de papier. Alors, voici la grande nouvelle de la journée. Le mois prochain, il y aura une compétition sportive au parc communautaire.

– Cool! s'est écrié Nicolas.

– Qu'est-ce qu'on doit faire au juste? a demandé Laurence.

Mme Martin a levé la main pour réclamer le silence.

– Je vais vous lire l'annonce, a-t-elle poursuivi en dépliant la feuille. « Venez vous joindre à nous au parc communautaire de Bélair pour des activités amusantes et stimulantes à l'occasion du premier Défi sportif annuel de Bélair. Montrez votre force en faisant des tractions à la barre fixe. Faites la course dans les pneus. Tentez votre chance sur le parcours d'obstacles en vélo. Et ce n'est pas tout! En amassant des points, vous pourriez gagner un tout nouveau vélo X-Trême, avec une bouteille et un casque assorti! »

– Super! a dit Thomas en riant.

Mme Martin a affiché la feuille sur le tableau de liège.

– Vous pouvez voir tous les détails ici, a-t-elle dit. Et maintenant, les enfants, j'ai quelques petites choses à vous annoncer. Premièrement,

c'est le jour de l'éducation physique, aujourd'hui, et deuxièmement, demain, nous allons accueillir Vanessa Cardui dans la classe. Je pense que vous serez tous contents de faire sa connaissance.

– C'est qui? a demandé Laurence. Est-ce qu'elle peut s'asseoir à côté de moi?

Mme Martin a eu un petit rire.

– Patience, patience! Vous allez rencontrer Vanessa Cardui demain. Mais avant que vous vous divisiez en groupe pour finir le projet d'art que vous avez commencé hier, j'ai une petite devinette pour vous. Vous êtes prêts?

On a presque tous hoché la tête. C'est le meilleur moment de la rencontre du matin.

– Quel est le fruit préféré des prisonniers?

J'ai regardé autour de moi. Tout le monde réfléchissait, les yeux plissés, la tête penchée.

– Le fruit préféré des prisonniers... ai-je répété. Oh, je le sais! Je le sais!

Mme Martin m'a regardée en souriant.

– Alors, Marie-Camille, quel est le fruit préféré des prisonniers?

– La *lime*! ai-je répondu en riant.

Il y a eu quelques ricanements dans la classe.

– Elle est bonne, celle-là! a dit Claire. (C'est généralement elle qui devine les réponses la première.) Je vais la poser à mon père ce soir.

Puis, Mme Martin a tapé des mains.

– Bon, les enfants, allez retrouver votre groupe. Il faut finir votre projet d'art aujourd'hui.

– Hé, Mamille, a murmuré Thomas une fois de retour à son pupitre, vas-tu participer au défi sportif? Moi, en tout cas, je ne veux pas rater ça! Je suis en grande forme, après ma saison de hockey.

Il m'a montré ses biceps en riant.

– Moi aussi, a répondu Laurence. Le parc est juste en face de chez moi. J'y vais tous les soirs. Je vais pouvoir m'exercer tant que je voudrai.

J'ai regardé le bout de mes souliers, gênée.

– Pas sûre, ai-je marmonné.

– Tu devrais, a dit Nicolas. Tu es la meilleure pour faire des tractions à la barre horizontale, au cours d'éduc. Et je t'ai vue sur les grimpeurs. T'es vraiment rapide!

Je sentais que tout le monde me regardait et attendait ma réponse. J'avais le visage tout rouge.

– Heu… ai-je murmuré après une petite pause. Je ne sais pas faire du vélo à deux roues. J'ai encore mes petites roues à l'arrière.

– Oh… a soupiré Nicolas.

Il avait l'air aussi triste que moi.

Chapitre 2

Le lendemain matin, Mme Martin nous a annoncé qu'on allait bientôt faire la connaissance de Vanessa Cardui.

J'ai regardé autour de moi. Et tous les autres aussi. Il n'y avait pas de nouvelle élève en vue.

– Je me demande quand elle va arriver, a chuchoté Laurence.

J'ai haussé les épaules. J'espérais qu'elle pourrait s'asseoir à ma table. J'ai levé la main.

– Madame! Madame! Est-ce que Vanessa peut s'asseoir à côté de moi?

– En fait, Marie-Camille, a répondu Mme Martin en riant, Vanessa va s'asseoir avec vous tous.

Voyons, ça n'avait aucun bon sens! Elle ne pourrait sûrement pas s'asseoir à six tables en même temps. Mais, avant que je puisse répliquer, quelqu'un a frappé à la porte. C'était peut-être elle.

– Ah! a dit Mme Martin, toute contente. Voici enfin Vanessa Cardui!

J'ai cherché la nouvelle des yeux. Tout ce que j'ai vu, c'était la secrétaire. Elle tenait une grande boîte qu'elle a remise à Mme Martin. Mais où était Vanessa?

– Tu la vois? m'a demandé Nicolas.

– Nan.

– Hé, Thomas! a chuchoté Nicolas. Vois-tu la nouvelle?

Thomas a secoué la tête.

Mais Mme Martin a soulevé la boîte.

– Je vous présente Vanessa, a-t-elle dit.

J'ai regardé Nicolas. Il a haussé les épaules. C'était bizarre... Il ne pouvait pourtant pas y avoir une fille dans cette boîte!

– Je vois que vous êtes tous très perplexes, a dit Mme Martin. On pourrait dire que c'est encore une de mes devinettes, je suppose.

Elle s'est interrompue un instant pour être sûre que tout le monde l'écoutait.

– En fait, *Vanessa Cardui*, ce n'est pas une personne. C'est quelque chose qui est dans la boîte. Alors, est-ce que quelqu'un a une idée de ce qu'est *Vanessa Cardui*?

Hein? Vanessa n'était pas une nouvelle élève? Je me suis demandé de quoi il pouvait s'agir. Mais avant que je devine, Bibiane a crié du fond de la classe :

– C'est une gerboise?

Mme Martin a secoué la tête.

– Un lapin? a proposé Thomas.

Encore une fois, Mme Martin a secoué la tête.

– Je sais! s'est écriée Laurence. Vanessa est un hérisson!

Tout le monde a ri, même la prof.

– Voici une devinette qui va vous aider à résoudre le mystère. Vous êtes prêts?

Mme Martin s'est retournée pour écrire au tableau.

> J'ai plus de quatre pattes.
>
> Mon bébé ne me ressemble pas.
>
> Je goûte avec mes pieds.
>
> Qui suis-je?

D'après le premier indice, j'étais à peu près sûre qu'il s'agissait d'un insecte. Mais quel est l'insecte qui goûte avec ses pieds?

Des mains se sont levées dans la classe.

– Est-ce que c'est une sauterelle? a demandé Aaron.

Mme Martin a secoué la tête.

– Une araignée? a hasardé Julien.

Mme Martin a secoué la tête.

– Une pieuvre? a risqué Claire.

Encore une fois, Mme Martin a secoué la tête.

– La voici, a-t-elle dit en sortant un pot de verre de la boîte.

On aurait dit qu'il était rempli de feuilles.

– Ces feuilles de chardon sont couvertes d'œufs minuscules, a-t-elle expliqué. D'ici quelques jours, ils vont éclore et il va en sortir...

– Des chenilles! ai-je crié.

Mme Martin m'a regardée en souriant.

– C'est exact, Marie-Camille. Et un jour, les chenilles vont devenir des papillons. Des Belles-Dames, plus précisément. Ou encore, comme les scientifiques préfèrent les appeler, des *Vanessa cardui*.

Alors, maintenant, nous savions tout. *Vanessa cardui* n'était pas une nouvelle élève. C'était notre prochain projet de sciences.

Chapitre 3

Les œufs étaient vraiment minuscules – pas plus gros qu'une tête d'épingle. À la fin de la journée, certains avaient déjà éclos. En général, je trouve les chenilles plutôt mignonnes, avec leurs poils soyeux. Mais celles-là étaient vraiment laides. Elles me faisaient penser à des vers gris avec quelques petits poils raides ici et là. Ouache! Mme Martin nous a donné à chacun un petit pot de verre contenant quelques feuilles de chardon. Ce qu'il y a de bien, c'est que tout le monde a eu des œufs, ou encore quelques chenilles.

– Les enfants, avant d'aller prendre l'autobus, inscrivez votre nom sur votre pot de larves et allez le déposer sur le comptoir, à l'arrière de la classe.

Alors, maintenant, on a tout un tas de pots de verre remplis de feuilles et de chenilles. Ou plutôt de larves, comme dit Mme Martin.

J'ai suivi les autres dans le couloir. Nicolas et Laurence étaient en train de mettre leur manteau.

– Je te vois au parc dans une demi-heure, a dit Nicolas à Laurence.

– Parfait! a répondu Laurence. On va pouvoir s'entraîner pour le Défi sportif. Hé, Mamille! a-t-elle ajouté en se tournant vers moi, tu viens aussi?

– Heu… ai-je marmonné. Peut-être...

– S'il te plaaaaîîît! a supplié Laurence. On va bien s'amuser.

– On peut faire la course dans les pneus, a ajouté Nicolas. Il va me falloir beaucoup d'entraînement pour ça. Mais je te parie que j'arriverai à te battre!

Il m'a fait un grand sourire.

D'un côté, je voulais y aller. Et de l'autre, je ne voulais pas.

– D'accord, ai-je dit, hésitante. On se voit au parc.

* * *

J'ai été étonnée de voir Julien, Aaron et Claire en arrivant au parc. Comme si on avait eu tous la même idée. On voulait tous gagner le nouveau vélo. Julien était accroché aux grimpeurs. Aaron essayait de faire des tractions à la barre fixe. Mais je pense qu'il trouvait ça très difficile. Claire rampait aussi vite qu'elle le pouvait dans un gros tuyau. Tout le monde avait l'air de bien s'amuser.

– Salut, Mamille! Tu es en avance, a dit une voix à l'autre bout du parc.

Je me suis retournée, et j'ai vu Nicolas et Laurence qui arrivaient en vélo à l'entrée du parc.

– Allons-y! s'est écrié Nicolas. On fait la course jusqu'aux grimpeurs!

On s'amusait comme des fous quand Laurence m'a donné un petit coup de coude.

– Regarde là-bas, a-t-elle dit en montrant du doigt des jeunes qui entraient dans le parc.

Ils étaient seulement trois. Mais il y en avait un qui était vraiment grand et gros – et ils avaient l'air méchant tous les trois : de véritables brutes. Et le pire, c'est qu'ils se dirigeaient vers nous.

J'ai avalé ma salive.

– Qui est-ce? ai-je demandé à Laurence.

Mais avant qu'elle puisse répondre, le plus grand des trois était déjà à côté de nous.

– On est ici pour utiliser les structures, a-t-il grogné. Alors, fichez le camp.

– Qu-qu-quoi? ai-je bégayé.

– T'es sourde ou quoi? *J'ai dit* que moi et les autres Rats de Rivière, on est ici pour se servir de tout ça, a-t-il répondu en désignant les structures de jeu.

Il a ensuite montré Aaron du doigt.

– Hé, Olivier! Regarde-moi ça! Le bébé, là, il n'est même pas capable de faire une seule traction.

J'ai jeté un coup d'œil à Aaron. Il avait le visage rouge et semblait au bord des larmes. Bon, maintenant, je connaissais le nom d'un des garçons : Olivier. Et les Rats de Rivière? À quoi ça rime tout ça? Une bande?

Laurence a été la première à parler.

– On s'en allait, justement, a-t-elle annoncé d'une voix chevrotante. Allons-y, a-t-elle ajouté en nous regardant.

Elle n'a pas eu à le dire deux fois. J'avais la bouche sèche. Mon cœur battait la chamade, et j'avais l'impression d'avoir les cheveux dressés sur la tête. Une fois sortie du parc, j'ai jeté un coup d'œil derrière nous. Les Rats de Rivière étaient en train de grimper sur les structures de jeu.

– Tu les connais? ai-je demandé à Laurence.

Elle a secoué la tête.

– Pas vraiment. Ils jouaient au baseball ici, l'été dernier. Ils se sont baptisés les Rats de Rivière. Ils viennent de l'école Desrivières. Le plus grand, c'est Carl, et les jumeaux s'appellent Olivier et Olivia. Ils font tout ce que Carl leur dit de faire.

Elle s'est interrompue une minute, les sourcils froncés, comme si elle se rappelait soudain quelque chose.

– Je suis à peu près sûre qu'ils ne sont pas du quartier. Moi, j'habite juste là, a-t-elle ajouté en montrant une maison grise de l'autre côté de la rue, et je ne les ai jamais vus au parc avant. Ils ne reviendront probablement pas.

Elle m'a regardée ainsi que les autres élèves de l'école Grande-Baie.

– On reviendra demain.

J'ai regardé Aaron, Julien et Nicolas. Rien qu' en voyant leurs visages, j'ai su tout de suite ce qu'ils en pensaient. Ils ne voulaient pas revenir. Et moi non plus. Mais j'étais trop gênée pour le dire.

– D'accord, ai-je répondu lentement. On va réessayer demain après l'école.

Chapitre 4

Le lendemain, aussitôt arrivée à l'école, je suis allée voir mes œufs. Ils avaient presque tous éclos. Il y avait des chenilles qui rampaient le long du pot, et d'autres qui mangeaient des feuilles. Elles étaient déjà beaucoup plus grosses que la veille.

– Elles grossissent vite, hein? a fait remarquer Mme Martin.

Elle était à genoux à côté de moi et regardait mon pot. J'ai fait « oui » de la tête.

– Mais il y en a qui ne bougent pas, ai-je fait remarquer.

– On dirait qu'il y en a quelques-unes qui sont mortes, a-t-elle indiqué après avoir regardé de plus près.

– Déjà? ai-je demandé.

– C'est comme ça, dans la nature, a-t-elle

poursuivi en hochant la tête. Si tous les insectes qui éclosent survivaient, il y en aurait beaucoup trop. Ne t'inquiète pas, Marie-Camille, a-t-elle poursuivi en me tapotant le bras. On aura bien assez de chenilles.

Nicolas est venu jeter un coup d'œil sur ses chenilles.

– Cool! s'est-il exclamé. Hé, regardez! Tous mes œufs ont éclos!

Julien, Laurence et Claire sont arrivés en courant.

– Les miens aussi!

– Et les miens aussi!

– Bon, les enfants, remettez vos larves sur le comptoir, a annoncé Mme Martin. C'est l'heure de la rencontre du matin. Venez vous asseoir sur le tapis.

Laurence m'a tirée par la manche pendant qu'on s'en allait rejoindre les autres.

– Tu veux aller au parc samedi? On va pouvoir s'entraîner.

– Certainement, ai-je dit, mais… Penses-tu que les Rats de Rivière seront encore là?

– Je ne pense pas, a-t-elle répondu.

J'étais un peu rassurée. Je n'avais pas du tout envie de retourner au parc si ces trois brutes étaient là.

– Et apporte ton vélo, a ajouté Laurence. On pourra s'exercer sur le parcours d'obstacles.

C'était bien ça, le problème. Je ne pourrais jamais faire le parcours d'obstacles avec un vélo muni de petites roues. Tout le monde allait rire de moi. Les petites roues, c'est pour les bébés. Pas pour les vrais pros du vélo!

– Heu, ai-je dit en évitant de regarder Laurence dans les yeux, je ne sais pas si j'en serai capable.

– C'est à cause de tes petites roues? a demandé Laurence. Parce que, si c'est ça, Nicolas et moi, on va t'aider. Ça va être facile, tu vas voir.

Je n'en étais pas si sûre. J'avais déjà essayé quelques fois de prendre le vélo de mon grand frère, et ça s'était toujours terminé par un désastre. Les genoux pleins de sang. Les coudes écorchés. Et, la dernière fois, une dent branlante.

On est allées s'asseoir sur le tapis avec les autres, et Mme Martin a commencé à parler de ce qu'on allait faire pendant la journée. À la fin de la rencontre, elle nous a montré des cahiers.

– Je vais vous remettre à chacun un journal dans lequel vous décrirez le cycle de vie de vos chenilles. J'aimerais que vous y notiez chaque jour tous les changements que vous observerez. Vous pouvez aussi faire des dessins, si vous voulez, a-t-elle ajouté en souriant. Et maintenant, avant que vous commenciez votre journal, j'ai une nouvelle devinette pour vous.

Je me suis penchée vers elle.

– Que dit la maman grenouille quand son petit rentre à une heure tardive?

Je n'avais aucune idée de ce que pouvait être la réponse, mais, comme d'habitude, Claire avait déjà la main en l'air. Julien aussi.

– Julien? a demandé Mme Martin.

– Bonsoir? a-t-il hasardé.

Mme Martin a secoué la tête.

– Est-ce que quelqu'un d'autre a une idée? a-t-elle demandé.

Elle a regardé Claire et répété sa question.

– Alors, que dit la maman grenouille quand son petit rentre à une heure tardive?

– C'est facile, a répondu Claire. Elle lui dit : « T'es tard! »

Et elle s'est mise à rire.

La prof a ri elle aussi.

– Tu as réponse à tout, décidément, Claire! Je pense que c'est toi qui devrais nous poser une devinette lundi.

– Pas de problème! a répondu Claire, l'air très contente. Mais elle ne sera pas facile, je vous avertis!

Ensuite, on a tous écrit dans notre journal. Mais je n'arrêtais pas de penser à notre visite au parc le lendemain. Il y avait deux choses qui m'inquiétaient. D'abord les Rats de Rivière. Et ensuite, mes stupides petites roues.

2ᵉ jour :

Certains des œufs ont éclos. Nous avons mis des feuilles de chardon dans le pot pour que les chenilles puissent manger. Elles sont laides!

Chapitre 5

Le samedi, j'avais très envie d'aller au parc et, en même temps, j'avais très envie de rester à la maison. La Mamille qui adorait les tractions et les grimpeurs était très tentée. Mais celle qui avait trop peur de monter sur un vrai vélo à deux roues n'avait qu'une idée en tête : retourner au lit et se cacher sous les couvertures. À onze heures, j'ai enfin décidé d'y aller. Mieux vaut tard que jamais!

Quand je suis arrivée au parc communautaire de Bélair, avec mon vélo, Nicolas m'a tout de suite envoyé la main.

– Te voilà enfin! s'est-il écrié. Ça t'en a pris, du temps!

Je l'ai vu jeter un coup d'œil à mon vélo et à mes petites roues. Et, même s'il n'a rien dit, je savais bien ce qu'il pensait.

– Je crois que tu devrais d'abord essayer *mon* vélo à moi, a dit Laurence.

J'ai secoué la tête.

– Allez, essaie-le, a-t-elle insisté. Nicolas et moi, on va te tenir. On ne te lâchera pas. Promis!

Elle a fait une croix sur son cœur.

Le vélo de Laurence était vraiment haut. Le siège semblait bien loin du sol! Je savais que, si je tombais, il y aurait beaucoup de sang. Et peut-être des os cassés. Je pourrais même en mourir. J'ai secoué la tête encore une fois.

– S'il te plaaaîîît, a supplié Nicolas. Je sais que tu en es capable. Essaie pour voir.

– Vous me promettez de ne pas me lâcher? J'avais les mains moites. En fait, j'étais morte de peur!

– Promis! se sont-ils écriés tous les deux avec un grand sourire.

Une fois en selle, je me suis rendu compte que c'était mieux que prévu. Le vélo oscillait de gauche à droite, mais Laurence et Nicolas me tenaient solidement comme ils me l'avaient promis. Ils ne m'ont pas lâchée. Pas une seule fois. J'ai commencé à me sentir un peu plus à l'aise. Je dirigeais de mieux en mieux le vélo. Et il restait à peu près droit. Je commençais à prendre de la vitesse.

– Ça suffit pour aujourd'hui, ai-je dit.

J'étais essoufflée, mais je souriais.

– Tu vas y arriver très vite, a dit Laurence.

– Je savais que tu en étais capable, a ajouté Nicolas. On va essayer de nouveau demain.

– D'accord, ai-je dit.

Quand je suis remontée sur mon propre vélo,
il m'a paru beaucoup plus petit qu'avant. J'étais
vraiment très près du sol! Et mes genoux touchaient
presque les poignées. On était sur le point de sortir
du parc quand on a entendu une voix qu'on aurait
reconnue n'importe où.

– Eh ben, regardez-moi ça, a dit la voix, pleine

de mépris. Un autre bébé! Celui-là se promène en tricycle.

Je n'avais entendu cette voix-là qu'une seule fois. Mais j'ai su tout de suite à qui elle appartenait, avant même de voir le garçon : c'était Carl, des Rats de Rivière. J'ai soudain eu l'impression d'avoir une pierre dans la poitrine à la place du cœur. Ça s'annonçait mal! Si seulement j'avais été plus brave... Je lui aurais dit deux ou trois petites choses. Pour commencer : « Ce n'est pas un tricycle. » Et puis : « Je suis presque capable de rouler sur un vrai vélo sans mes petites roues. » Et aussi : « Je ne suis pas un bébé. » Sauf que je n'étais pas brave du tout. J'ai fixé Carl sans rien dire. Olivier et Olivia l'avaient rejoint. J'ai avalé ma salive. Ça s'annonçait vraiment très mal!

Carl m'a regardée droit dans les yeux.

– Comment tu t'appelles? a-t-il grogné.

– M-M-Mamille, ai-je répondu en bégayant.

– Mamille! a répété Carl en riant. Quelle sorte de nom c'est, ça?

Il a tourné la tête vers Olivier et Olivia, et il a claqué des doigts comme s'il venait d'avoir une idée brillante.

– Je sais! C'est un nom de singe. En réalité, c'est Mamille *la Gorille*!

Il s'est tourné vers Olivia et lui a tapé dans la main.

– Elle est bonne, hein?

– Très bonne, a approuvé Olivia. Mamille la Gorille...

Elle a roulé de gros yeux en ricanant.

Olivier s'est mis à sautiller sur place. Il se frappait la poitrine en lançant des cris de singe.

– *Ouh! Ouh! Ouh!*

– Allons-nous-en, a dit Nicolas. On n'a plus rien à faire ici.

En moins de deux, j'ai sauté sur mon vélo et je me suis éloignée en pédalant de toutes mes forces. J'entendais Carl qui criait dans mon dos.

– À plus tard, Mamille la Gorille!

– Attends-moi, Mamille! a appelé Laurence.

Elle était tout essoufflée quand elle a fini par me rejoindre.

– J'ai une idée, a-t-elle ajouté en jetant un regard par-dessus son épaule, en direction du terrain de jeux. On va espionner les Rats de Rivière.

– Ouais, bonne idée! a approuvé Nicolas.

Je n'en étais pas si sûre. Ça serait amusant à condition qu'on ne se fasse pas prendre. Mais si on se faisait prendre... Eh bien, je préférais ne pas y penser.

On est sortis du parc et on a caché nos vélos dans les buissons, puis on s'est faufilés jusqu'à la grille d'entrée pour jeter un coup d'œil. Les Rats de Rivière étaient encore au terrain de jeux. Carl se balançait sur les grimpeurs. Il était tellement rapide qu'on aurait dit un vrai singe sautant de branche en branche. Olivier courait à toute allure dans le parcours de pneus. Il était, lui aussi, rapide comme l'éclair. Et Olivia s'exerçait à faire des virages serrés sur sa bicyclette. J'ai vu tout de suite que ça faisait un bon moment qu'elle savait faire du vélo à deux roues. Ils étaient habiles, tous les trois. Très habiles. Ça n'allait pas être facile de remporter le Défi sportif.

Chapitre 6

Ensuite, on est allés prendre une collation chez Laurence.

– Je pense qu'on devrait retourner au parc un peu plus tard, a dit Nicolas, la bouche pleine de biscuits aux brisures de chocolat. Je suis sûr que Carl ne sera plus là.

Laurence s'est essuyé la bouche.

– Ils vont probablement rentrer chez eux pour manger. Alors on a des chances d'avoir le terrain de jeux pour nous.

À penser à ces trois brutes, j'en avais des papillons dans l'estomac.

– Mais s'ils *sont* encore là? Ils me font peur.

– Alors, on ne restera pas, a promis Laurence.

On est retournés au parc un peu plus tard. Il n'y avait plus trace des Rats de Rivière. La voie était libre. Je me suis sentie un peu mieux. Je me suis dirigée tout droit vers les grimpeurs. J'aime bien sentir mes mains toutes chaudes et toutes moites quand je m'y accroche et me balance. Je trouve même que ma peau sent le métal. Nicolas, lui, filait dans le parcours de pneus. Encore et encore. Et Laurence essayait de faire des tractions. À voir ses sourcils froncés, je savais qu'elle trouvait ça difficile. J'étais à peu près à mi-chemin des grimpeurs quand j'ai entendu de nouveau l'horrible voix de Carl.

Mamille la Gorille est dans un arbre,
Elle embrasse son amoureux.
D'abord, un baiser,
Ensuite, le mariage,
Et après...

J'ai avalé ma salive. Il était là, à mes pieds. J'ai baissé les yeux vers lui juste au moment où il levait ses longs bras dans ma direction. Puis il a attrapé mon pantalon et il s'est mis à tirer! Je sentais mon jean descendre lentement. Il essayait de m'enlever mon pantalon! Dans une minute, je serais suspendue dans les airs en petite culotte! J'ai donné des coups de pied pour essayer de le faire lâcher prise, mais il a tiré encore plus fort.

– Va-t'en! ai-je hurlé.

– Hé! arrête! a crié Laurence.

Carl s'est tourné vers elle.

– Et qui va m'y obliger? *Toi?* a-t-il dit en faisant un pas vers Laurence.

Elle est devenue toute blanche.

– Écoute, Carl, a commencé Nicolas. On peut tous jouer dans le parc...

– Je ne pense pas, a grogné Carl. Mes amis et moi – il a montré Olivier et Olivia du doigt –, on doit s'entraîner pour le Défi sportif. C'est un de nous trois qui va gagner le nouveau vélo. Alors, fichez le camp!

Laurence et Nicolas ont reculé d'un pas. Je voyais bien qu'ils avaient peur. J'ai lâché les barres et je me suis laissée tomber par terre. J'ai atterri durement, mais au moins, j'avais encore mon pantalon.

Chapitre 7

Le lundi matin, en arrivant à l'école, je me suis précipitée au fond de la classe pour aller voir mes chenilles. Elles avaient beaucoup grandi. Et grossi. Quelques-unes avaient même des lignes jaune pâle. Presque toutes les feuilles de chardon avaient été mangées.

Aaron était à côté de moi. Il regardait ses chenilles, lui aussi.

– Mamille, a-t-il demandé, c'est quoi ça, au fond du pot?

J'ai regardé de plus près. Il y avait comme des miettes. J'ai ensuite jeté un coup d'œil sur mon pot, et puis sur les autres. Tous contenaient les mêmes petits grains brunâtres. Et dans quelques-uns d'entre eux, il y avait un objet plus gros et tout chiffonné sur ces grains.

– Je ne sais pas, ai-je répondu en me tournant vers Claire. Et, toi, tu sais ce que c'est?

Claire a jeté un coup d'œil dans mon pot.

– Attends une seconde, a-t-elle continué.

Elle a sorti une loupe de la poche arrière de son jean. En voyant mon air étonné, elle a continué :

– Je me suis dit que ça pourrait être utile aujourd'hui. Je l'ai prise dans ma trousse de détective, à la maison.

Ça, c'est tout à fait Claire! Elle est tellement intelligente... Elle planifie toujours tout.

– Eh bien, je ne sais pas trop ce que c'est, ce truc brun, là, a-t-elle annoncé. Ça ressemble à des miettes de biscuit. Mais je pense que cette chose chiffonnée, c'est la vieille peau de la chenille. Je suis à peu près certaine que les chenilles ont commencé à muer.

– Laisse-moi voir, ai-je demandé en prenant la loupe des mains de Claire.

La vieille peau était vraiment mince. Je voyais presque au travers.

– Cool!

– Et puis, regardez, a ajouté Aaron en montrant les autres pots. Il y en a d'autres ici. Et ici.

Mme Martin est venue nous retrouver.

– Vous avez l'air bien excités. Qu'est-ce qui se passe?

Je lui ai montré mon pot.

– Les chenilles sont en train de muer, ai-je répondu. Regardez leurs vieilles peaux, là, au fond.

Mme Martin a pris la loupe et elle a examiné longuement les peaux laissées par les chenilles.

– Les larves ont vraiment changé, hein? N'oubliez pas d'ajouter des feuilles de chardon dans les pots. Elles mangent tout le temps. Et en ce moment, c'est très important qu'elles aient beaucoup de nourriture.

– D'accord. Mais il y a une chose qu'on ne

comprend pas, ai-je ajouté en montrant mon pot. Qu'est-ce que c'est, ces miettes brunes, là?

Mme Martin s'est mise à rire.

– Des excréments de chenille, a-t-elle répondu.

– Des excréments? a demandé Aaron, perplexe.

Je lui ai donné un petit coup de coude dans les côtes.

– Des crottes! ai-je dit en riant. C'est des crottes!

– Ouh, ouache! a dit Aaron en plissant le nez.

– Miam! Quelles bonnes miettes de biscuit! ai-je ajouté en riant de plus belle. C'est des crottes! Heu... Je veux dire des excréments de chenille.

Aaron m'a regardée d'un drôle d'air. Il fait toujours ça quand il a une bonne idée.

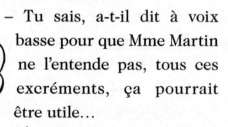

– Tu sais, a-t-il dit à voix basse pour que Mme Martin ne l'entende pas, tous ces excréments, ça pourrait être utile...

– À quoi? ai-je demandé sur le même ton.

Il a jeté un coup d'œil vers la prof, puis il a repris d'une voix encore plus basse.

– On pourrait s'en servir pour se venger des Rats de Rivière. En mettre dans leurs chaussures, par exemple, ou en faire des sucettes glacées, a-t-il suggéré en riant.

Je me suis mise à rire moi aussi.

– Ça, ce serait drôle! On pourrait peut-être...

Mais avant même que j'aie le temps de finir, Mme Martin nous a annoncé que c'était l'heure de nous rendre au gymnase. Les cours d'éduc, c'est ce que je préfère à l'école. Parfois, on roule en trottinette. Parfois, on fait de la gymnastique. Parfois, on organise des jeux. Aujourd'hui, on devait poursuivre notre entraînement pour le Défi sportif.

M. Tremblay, le prof d'éduc, avait déjà mis tout le matériel en place quand on est arrivés. Il y avait de longs câbles pour grimper, des barres pour faire des tractions, des cerceaux qui formaient un tracé de course. Toutes sortes de choses.

– Bonjour, les enfants, a claironné M. Tremblay. Aujourd'hui, nous allons continuer à nous entraîner pour le Défi sportif de Bélair. Je sais que vous avez tous envie de gagner le vélo X-Trême. Mais ce n'est pas ça le plus important. L'important, c'est d'être en forme. C'est d'être actif et en bonne santé, a-t-il ajouté en souriant. Alors, formez vos équipes et regagnez vos postes.

Je suis dans la même équipe que Thomas, Julien et Bibiane. C'était notre tour de commencer à la barre fixe. Julien y est allé en premier. Il a fait deux tractions. Ensuite, c'était le tour de Bibiane. Elle trouve ça vraiment difficile, les tractions. Elle en a fait seulement une. J'avais dit que je voulais passer la dernière. Je voulais voir si je pourrais battre Thomas. Il est vraiment bon à la barre fixe. Au dernier cours d'éduc, il a fait trois tractions. Aujourd'hui, il a battu son record : il en a fait cinq. Et maintenant, c'était mon tour. J'ai agrippé la barre de bois à deux mains et je me suis soulevée. Une... Deux... J'entendais Thomas compter. Je savais qu'il ne voulait pas que je le batte.

– Trois, quatre.

Les muscles de mes bras commençaient à trembler.

– Ciiiinq.

J'avais le visage en sueur. Je n'avais plus de force. Mais je devais faire encore une traction si je voulais battre Thomas.

– Six, a-t-il compté. Sept...

Je me suis laissée tomber par terre. Sept! Deux de plus que Thomas! Et c'est le meilleur de la classe...

– Tu m'as battue, Mamille, a reconnu Thomas. Mais attends de voir la prochaine fois! Je vais en faire *vingt*, c'est sûr!

– On verra bien, ai-je répondu, le visage fendu d'un large sourire.

Maintenant, je savais que, si je continuais à m'exercer, je serais capable de faire le plus grand nombre de tractions. Mais ça ne m'aidait pas beaucoup pour le parcours à vélo. Comment pourrais-je arriver à contourner toute une série de cônes sans les renverser? Et le pire, c'est que je devrais le faire sans mes petites roues.

Chapitre 8

Quand on est retournés dans la classe, c'était l'heure de la rencontre du matin. Je me suis rappelé que Claire était censée avoir une devinette pour nous, aujourd'hui. J'étais sûre qu'elle serait excellente.

Mme Martin nous a accueillis en souriant.

– À voir vos visages, j'ai l'impression que vous vous êtes tous bien amusés pendant le cours d'éducation physique, a-t-elle dit. J'espère que vous allez vous amuser autant ici. Alors, commençons par notre rencontre du matin et la devinette de Claire.

– Elle est difficile, a annoncé Claire en souriant. Je vous parie que personne ne réussira à trouver la réponse.

Une fois tous assis sur le tapis, Mme Martin nous

a donné ses instructions pour la journée. Puis, elle a invité Claire à nous présenter sa devinette.

– Comment appelle-t-on un hippopotame qui fait du camping? a-t-elle demandé.

– Un campeur? a tenté Christian.

– Non.

– Un hippopo-tente? a hasardé Jeannie.

– Non plus, a répondu Claire. C'est…

Elle s'est interrompue un instant pour parcourir le groupe des yeux.

– … un hippocampe! a-t-elle terminé en riant. Elle est bonne, hein?

Je me suis mise à rire. Et les autres aussi. Je ne trouve jamais les réponses aux devinettes.

Mme Martin a interrompu le cours de mes pensées.

– Maintenant, les enfants, c'est le moment d'aller voir comment se portent vos larves. Et n'oubliez pas d'inscrire tous les changements que vous constatez dans votre journal.

Je suis allée chercher mon pot de chenilles et je me suis assise à une table. Nicolas était à côté de moi. Il était déjà en train d'écrire quelque chose dans son journal. Il s'est arrêté et m'a regardée.

– Viens-tu t'entraîner au parc après l'école? a-t-il demandé.

J'ai pensé aux structures de jeu. C'était très amusant de s'entraîner et ce serait super de gagner le vélo X-Trême. Mais il y avait les Rats de Rivière... Ils allaient tout gâcher. J'avais eu trop peur la dernière fois. J'ai secoué la tête.

– Je ne veux pas retourner au parc, ai-je chuchoté.

J'évitais de regarder Nicolas, mais je sentais qu'il m'observait. J'ai fait semblant d'être très intéressée par ce qui se passait dans mon pot de chenilles.

– Tu es juste une poule mouillée, a lancé Nicolas.

– Ce n'est pas vrai! ai-je sifflé.

– Oh, oui, c'est vrai!

– *Non*, pas du tout!

– Bon, a ajouté Nicolas avec un sourire narquois. Alors, tu peux venir me rejoindre au parc tout de suite après l'école.

Je n'avais pas le choix. Je ne voulais pas vraiment y aller. Mais je n'avais pas envie de rester chez moi non plus. En tout cas, j'étais sûre d'une chose : je ne voulais surtout pas me retrouver aux prises avec les Rats de Rivière.

J'ai ramassé mon pot et je me suis concentrée sur le compte rendu à écrire dans mon journal.

5ᵉ jour :

Les chenilles sont de plus en plus grosses. Il y en a qui grimpent sur les côtés du pot. Quelques-unes ont déjà mué. Il y a quelque chose qui ressemble à de petits bouts de fil dans le pot.

La journée a passé en un éclair. C'était déjà l'heure d'aller prendre l'autobus.

– On se voit au parc, a crié Laurence tandis que je montais dans l'autobus.

J'étais nerveuse, comme quand on veut faire

quelque chose mais qu'en même temps, on ne veut pas. J'espérais que tout se passerait bien, cette fois.

* * *

Je suis arrivée au parc communautaire de Bélair à l'heure convenue. Laurence et Nicolas étaient exactement là où ils m'avaient promis de m'attendre : à l'entrée principale. Aussitôt arrivée, j'ai remarqué leur air inquiet.

– Aviez-vous peur que je ne vienne pas? ai-je demandé avec un petit sourire moqueur.

– Non, a répondu Laurence. Regarde.

Elle a montré du doigt les structures. Les Rats de Rivière étaient là.

Tout à coup, j'ai eu la bouche sèche. Je n'arrivais plus à avaler. J'avais l'estomac noué.

– Allons-nous-en, ai-je murmuré.

Nicolas a secoué la tête.

– Non, on ne va pas laisser ces trois brutes nous empêcher de profiter du parc. On va rester tous les trois ensemble. Ils sont trois, et nous aussi.

– On va faire comme s'ils n'étaient pas là, a ajouté Laurence, qui paraissait tout de même inquiète. Mamille, on a tous besoin de s'entraîner. Et c'est le seul endroit où on peut le faire. Allez, reste avec nous! S'il te plaît!

Je ne voulais pas rester. Mais Nicolas avait raison. On ne pouvait pas se laisser intimider par les Rats de Rivière. Et, si on restait tous les trois ensemble, tout se passerait bien. Et puis, j'avais une surprise pour Laurence et Nicolas... Je m'étais exercée toute la fin de semaine sur le gros vélo de mon frère. J'avais réussi à rouler sans petites roues. Pas très bien, mais pas trop mal non plus.

– D'accord, ai-je répliqué. Mais on reste tous ensemble, hein?

Je n'avais pas oublié que Carl avait voulu baisser mon pantalon l'autre jour. Un frisson d'angoisse m'a parcourue.

– Je vais placer des pierres, a dit Nicolas. On va faire comme si c'était des cônes, et on pourra s'entraîner aussi longtemps qu'on le voudra.

On a roulé entre les pierres chacun notre tour. J'ai emprunté le vélo de Laurence puisque le mien avait encore ses petites roues. Au début, j'avais du mal à garder mon équilibre. Je me suis concentrée, les sourcils froncés. À gauche. À droite. À gauche. À droite. J'y arrivais! Je n'allais pas vite, mais je m'améliorais. Je gardais un œil sur les pierres et l'autre sur Carl, Olivier et Olivia. Ils avaient cessé de s'exercer et ils nous regardaient. J'essayais de ne pas faire attention à eux, mais ce n'était pas facile. Autour d'une pierre, puis d'une autre. Encore une et… Oh, oh!

Carl était soudain debout devant moi. Comment avait-il fait? Il me regardait avec un sourire méchant, les mains derrière le dos. Ça, c'était un problème, avec un grand « P » ! Avant que j'aie le temps de comprendre ce qui m'arrivait, Carl a brandi un bâton et l'a glissé entre les rayons de ma roue avant. Le vélo s'est arrêté net. J'ai fait un vol plané au-dessus du guidon et je suis allée atterrir sur l'asphalte avec un bruit sourd. Pendant quelques secondes, j'en ai eu le souffle coupé.

J'avais l'impression que mes poumons venaient de se vider de leur air. Et puis, j'ai commencé à avoir mal partout en même temps. J'avais mal au ventre. Mal aux coudes. J'avais les mains couvertes d'égratignures, les genoux en sang et les larmes aux yeux.

– Ça va, Mamille? a demandé Laurence.

Elle s'est penchée vers moi et m'a aidée à me relever.

– Je suis désolée, Laurence. J'espère que ton vélo n'est pas abîmé, ai-je répondu.

Nicolas a jeté un regard noir à Carl.

– Fiche-nous la paix! a-t-il crié. Nous, on ne vous dérange pas.

On aurait dit que tous les sentiments qu'il avait gardés pour lui jusque-là voulaient sortir en même temps.

– Pourquoi tu as fait ça? Tu n'arrêtes pas de nous agacer. Une brute, voilà ce que tu es. Et maintenant, laisse-nous tranquilles! a-t-il ajouté.

Pendant quelques secondes, on aurait entendu une mouche voler. Je ne sais pas qui était le plus surpris des deux : Carl ou Nicolas. Carl est resté là, immobile, les yeux fixés sur Nicolas, la bouche grande ouverte. Nicolas serrait, puis desserrait les poings. Finalement, Carl a marmonné quelque chose qui ressemblait à « bébés lala », et il s'est dépêché d'aller retrouver Olivier et Olivia.

Chapitre 9

Après cet incident, on est allés tous les trois chez Laurence. Je n'arrivais pas à trouver ce qui me faisait le plus mal : mes mains éraflées, mes genoux sanguinolents ou mon orgueil blessé. Il a fallu la moitié d'une boîte de pansements pour couvrir toutes mes coupures, plus quatre carrés au chocolat fort et un grand verre de lait avant que je commence à me sentir mieux. Personne n'a dit un mot en mangeant, mais je savais que Laurence et Nicolas pensaient exactement la même chose que moi. Il fallait absolument qu'on puisse s'entraîner au parc. Le Défi sportif avait lieu dans deux semaines. Mais aucun de nous ne voulait se retrouver face à face avec les Rats de Rivière. Plus jamais.

– On devrait peut-être faire une pause, a suggéré

Nicolas en jetant un coup d'œil sur mon pantalon déchiré.

On voyait les pansements à travers les trous.

– Juste pour aujourd'hui, a-t-il ajouté.

– Je pense que c'est une bonne idée, a dit Laurence. On essaiera d'y retourner demain. Qu'en penses-tu, Mamille?

Je n'en pensais rien de bon, en fait. J'avais très envie de tout lâcher. Mais en même temps, ce serait bien de montrer à ces Rats de Rivière qu'on était capables de les battre au Défi sportif. Au moins, l'un de nous pourrait gagner le vélo X-Trême. Et le casque. Et la bouteille.

– Peut-être... ai-je répondu.

– Et si on allait plutôt à la chasse aux papillons? a proposé Laurence en souriant. On les apporterait en classe demain pour les montrer à Mme Martin.

– Ce serait cool, a approuvé Nicolas. Qui sait, peut-être même qu'on pourra trouver une Belle-Dame!

On a cherché des papillons partout. On a même regardé dans les chardons parce qu'on avait appris que les Belles-Dames adorent les feuilles de chardon. Mais, malgré tous nos efforts, notre pot ne contenait que deux coccinelles et deux chenilles toutes poilues, qui ne ressemblaient pas du tout aux vilaines chenilles qu'on avait à l'école. Celles-ci étaient grosses, couvertes de poils soyeux. Et plutôt mignonnes. Quand j'en ai touché une, elle s'est tout de suite roulée en boule.

On a fini par abandonner notre chasse aux papillons pour retourner chez Laurence. En passant devant le parc, j'ai aperçu quelque chose d'intéressant. Carl était encore là – mais il était

seul. Aucune trace d'Olivier, ni d'Olivia. Il n'y avait
là qu'un seul des méchants Rats de Rivière.

– Hé! Regardez qui est là! ai-je dit en montrant
Carl. On dirait qu'il a un problème.

Carl se tortillait dans un grand tuyau de plastique.
Sa tête sortait à un bout, et ses pieds dépassaient à
l'autre. Mais ses épaules ne bougeaient absolument
pas. Il avait le visage rouge, couvert de sueur.

Nicolas s'est arrêté pour le regarder.

– On dirait qu'il *est bien coincé*, a-t-il fait
remarquer.

– En effet, il est coincé! a dit Laurence en
éclatant de rire. Eh bien, tant pis pour lui! Il n'a
que ce qu'il mérite. On verra bien combien de
temps il lui faudra pour sortir de là.

– J'ai une meilleure idée, ai-je dit. Vous allez
voir!

J'ai pris le pot que tenait Nicolas et j'en ai sorti
délicatement la plus grosse des chenilles.

– Qu'est-ce que tu vas faire? a demandé
Laurence.

J'ai baissé les yeux vers mon pantalon déchiré.
Puis, j'ai tourné la tête vers Laurence.

– Il va me payer ça...

– Es-tu folle? a-t-elle répondu, le souffle coupé.

Mais je n'ai pas répondu. Avant d'avoir le temps de changer d'idée, je me suis dirigée tout droit vers Carl, à l'autre bout du parc. Je ne risquais rien, dans la position où il se trouvait.

– Tu as un problème? ai-je demandé de ma voix la plus douce. Ceci pourra peut-être t'aider.

Tout doucement, je lui ai déposé la chenille sur le nez.

Carl m'a regardée avec de grands yeux. Il a froncé le nez et secoué la tête vigoureusement pour essayer de se débarrasser de la chenille.

– Ôte-moi ça de là! a-t-il hurlé. Ôte-moi ça!

La chenille s'est mise à descendre lentement le long de son nez, en direction de sa bouche.

– Ça, c'est pour mes genoux en sang. Et aussi pour mes mains.

Je lui ai montré mes mains couvertes de pansements. Carl a secoué la tête encore plus fort, mais la petite chenille velue est restée accrochée. On aurait dit qu'elle était collée sur lui.

– Il paraît que c'est délicieux, les chenilles, ai-je ajouté avant de retourner en courant vers Laurence et Nicolas.

J'ai entendu Carl crier dans mon dos.

– Tu vas me payer ça! Tu vas voir ce que tu vas voir! Tu vas t'en mordre les doigts!

* * *

Une fois de retour chez Laurence, je me suis exclamée :

– Vous avez vu la tête de Carl? Ha! Je l'ai bien eu!

– Je me demande ce que ça goûte, les chenilles, a répondu Nicolas en riant. On pourrait en écraser dans la soupe... En faire cuire dans les muffins... En égrener sur les céréales...

Il s'amusait comme un fou.

Mais Laurence, assise par terre, ne disait pas un mot. Elle se contentait de replacer en silence les oursons de sa collection.

– C'était trop drôle, hein? ai-je demandé à Laurence.

Mais Laurence m'a regardée avec de grands yeux ronds.

– Ce n'était peut-être pas une si bonne idée, a-t-elle fini par répondre. C'était drôle, mais... Mais qu'est-ce qui va se passer la prochaine fois qu'on va aller au parc? Et si Carl avale la chenille?

Tout à coup, le silence est tombé dans la pièce. On aurait entendu une mouche voler. À quoi avais-je pensé? Carl voudrait certainement se venger. Il avait déjà été bien assez méchant aujourd'hui. Mes genoux en sang et mes mains bandées le prouvaient. Je ne voulais même pas essayer d'imaginer ce qu'il me ferait la prochaine fois qu'il me verrait.

– On devrait peut-être retourner au parc pour voir comment il va. Pour être sûrs qu'il n'est pas vraiment coincé, ai-je dit en croisant les doigts. Avec un peu de chance, il n'aura pas mangé la chenille.

Mais quand on est arrivés au parc, il n'y avait plus aucune trace de Carl. Il était parti. Je me suis demandé si c'était une bonne chose.

Chapitre 10

Le lendemain, je me suis réveillée avec un plan en tête. Je voulais en parler aux autres en arrivant à l'école. Mon plan, c'était de me faire accompagner par tout un groupe d'amis chaque fois que j'irais au parc. Ce serait ma bande à moi, en quelque sorte. Alors, je n'aurais plus à m'inquiéter des Rats de Rivière.

Tout le monde a trouvé que c'était une excellente idée. Alors dorénavant, après l'école, le soir, il y aurait une nouvelle bande au parc : les élèves de l'école Grande-Baie. On pourrait même se donner un nom. Quelque chose de « cool » comme les Grands Gagnants de Grande-Baie, par exemple. Julien, Claire, Aaron, Thomas et Mathieu allaient nous rejoindre, Nicolas, Laurence et moi. Et on allait rester tous ensemble. Ma mère dit toujours qu'il faut compter sur la force du nombre. J'espère que c'est vrai.

Ensuite, je suis allée voir mes chenilles. Et j'ai eu la surprise de ma vie! Elles étaient presque toutes accrochées sous le couvercle du pot, recroquevillées sur elles-mêmes comme pour former un « j ».

– Oh là là! ai-je dit à Claire. Regarde-moi ça! Tes chenilles font la même chose que les miennes.

Claire a regardé son pot de plus près. Évidemment, elle a de nouveau sorti sa loupe. Elle est vraiment toujours prête à tout! Et puis, elle a dit :

– Regarde, Mamille. Celle-ci est différente des autres.

J'ai jeté un coup d'œil sur son pot. En effet, il y avait une des chenilles qui était complètement enveloppée de fil blanc.

– Je pense qu'elle est en train de se fabriquer un cocon, ai-je répondu.

Voici ce que j'ai écrit dans mon journal :

6e jour :
Presque toutes les chenilles ressemblent à un « j ». L'une d'elles s'est tissé un cocon. Ça doit être vraiment difficile parce qu'elle se tortille comme une folle!

La journée m'a paru très longue. Le cours de maths était difficile. Les mots à épeler étaient compliqués. Même le cours d'éduc était ennuyant. Je n'arrêtais pas de penser aux Rats de Rivière. Comment Carl allait-il s'y prendre pour se venger? Parce qu'il allait vouloir se venger, ça ne faisait aucun doute. Allait-il me battre? Essayer de baisser mon pantalon encore une fois? Me faire manger de la terre? Juste à y penser, j'en avais mal au ventre.

Quand le moment est venu de prendre l'autobus, Thomas m'a regardée en levant le pouce.

– On se voit au parc, Mamille. On va leur montrer qui mène, à ces Rats de Rivière!

– Je suppose, ai-je marmonné.

Mais je n'étais pas convaincue.

* * *

À quatre heures pile, on était tous à l'entrée du parc. On était huit en tout : Thomas, Laurence, Julien, Claire, Aaron, Nicolas, Mathieu – et moi, bien sûr. J'ai pris la tête du groupe. Je dois admettre que c'était agréable. Pour une fois, j'avais l'impression d'avoir la situation bien en main. Mon inquiétude s'était presque toute dissipée. Mais il y avait dans ma tête une toute petite voix qui me disait : « T'es folle, t'es complètement folle! »

On a enfourché nos vélos et on s'est dirigés tout droit vers les structures. Évidemment, Carl, Olivier et Olivia y étaient déjà. Carl a sauté par terre en nous voyant.

– Va-t'en au diable, Mamille la Gorille!

J'ai pris une grande inspiration et je lui ai dit, avant d'avoir le temps de changer d'idée :

– Nous aussi, on a besoin des structures. Il y a assez de place pour tout le monde, ici.

Carl m'a regardée avec des yeux grands comme des soucoupes. Puis il a passé mes sept compagnons en revue. J'ai soutenu son regard, les bras croisés. Il avait l'air un peu étonné. Je ne savais pas si c'était à cause de mon attitude, ou du nombres d'élèves de Grande-Baie présents.

Il s'est tourné vers Olivier et Olivia, et il a haussé les épaules.

– Allons-nous-en, a-t-il fini par dire. On a mieux à faire.

Je les ai suivis des yeux pendant qu'ils s'éloignaient en vélo. C'est seulement quand ils ont été hors de vue que je me suis rendu compte que mon cœur battait à tout rompre. J'ai respiré très lentement. Je me sentais bien. J'avais fait ce que j'avais à faire.

Nicolas m'a regardée en souriant.

– Bravo, Mamille! Tu as réussi!

Chapitre 11

Tout le reste de la semaine, on s'est rencontrés au parc après l'école. J'étais contente de deux choses. Premièrement, je me sentais beaucoup plus en sécurité avec tous mes amis. Les Rats de Rivière semblaient s'être perdus dans la nature, et on avait le parc à peu près pour nous tout seuls. Je suppose que nos ennemis continuaient de s'entraîner, mais ailleurs. Deuxièmement, j'avais hâte de participer à la compétition. Je m'améliorais dans toutes les épreuves, y compris sur le parcours d'obstacles en vélo. Je n'avais plus mes petites roues, et il ne restait qu'une semaine avant le Défi sportif.

À l'école, les choses allaient beaucoup mieux. Les cours de maths étaient passionnants. J'avais eu un « A » en orthographe, et pendant nos cours d'éduc, on apprenait à jouer au basket. Mais le plus amusant, c'était le projet sur les papillons. Presque toutes les chenilles avaient maintenant tissé leur cocon et étaient devenues des chrysalides. Et je savais qu'on verrait notre premier papillon bientôt.

De ma plus belle écriture, j'ai écrit dans mon journal :

9e jour :
La chrysalide a changé de couleur. Elle est maintenant brunâtre, avec des points jaunes et des reflets dorés.

Claire était en train de dessiner une chrysalide. Elle s'est interrompue un instant.

– On n'a plus beaucoup de temps pour s'entraîner, a-t-elle dit. La compétition a lieu à la fin de la semaine prochaine. Qui est-ce qui va gagner, à ton avis?

J'ai haussé les épaules. Je savais que ce serait serré. On aurait dit que tous les élèves de Grande-Baie étaient experts en quelque chose. Julien était le meilleur sur les grimpeurs. Aaron était le plus rapide à la course dans les pneus. Et Laurence était vraiment imbattable à bicyclette. Tout le monde avait des chances.

– J'imagine que ça va dépendre des juges, ai-je répondu. J'aimerais bien gagner le vélo. Je serais enfin débarrassée de mon petit vélo. Mais tu sais, peu m'importe qui va gagner, du moment que ce n'est pas un des Rats de Rivière.

Claire a hoché la tête. Elle était tout à fait d'accord avec moi.

Mme Martin s'est arrêtée à notre table. Elle a d'abord regardé mon journal.

— Tu as dessiné des détails intéressants, Marie-Camille, a-t-elle dit. J'aime en particulier le dessin sur lequel tu montres la chrysalide accrochée au coussinet de soie.

Ensuite, Mme Martin a regardé le cahier de Claire. Elle a froncé les sourcils, l'air perplexe.

– Et ça, qu'est-ce que c'est? a-t-elle demandé en montrant un petit rabat collé sur le dessin.

Claire s'est mise à rire.

– Ouvrez, vous allez voir!

– Bien sûr, j'aurais dû m'y attendre! Tu as ajouté une devinette sur les papillons!

Mme Martin a lu ce qui était écrit sous le rabat.

– « Quelles sont les trois lettres qui empêchent un papillon de voler? » Je me souviens d'avoir entendu cette devinette quand j'étais petite.

Claire a eu l'air étonnée.

– Vraiment? a-t-elle demandé. Alors, quelle est la réponse?

– C'est « L K C »! a répondu Mme Martin en riant.

Claire lui a fait un grand sourire.

– Je vais devoir trouver quelque chose de plus difficile, la prochaine fois!

* * *

La semaine avait filé comme l'éclair. À un moment, le Défi sportif de Bélair était dans cinq jours, et puis – BOUM! – en un clin d'œil, on était rendu au vendredi, la veille de la compétition. Le temps avait passé tellement vite! C'était notre dernier jour d'entraînement au parc. Tout le monde devait être là : Laurence, Thomas, Aaron, Nicolas, Bibiane – tout le monde. On voulait tous gagner le vélo X-Trême. Mais il ne pouvait y avoir qu'un seul gagnant. J'ai croisé les doigts. Peut-être... Peut-être que ce serait moi!

Je suis arrivée la dernière au parc. Je n'en revenais pas de voir autant de monde! Le terrain de jeux était plein. Et toutes les structures étaient utilisées. Tous les élèves qui s'entraînaient faisaient de leur mieux, c'était fantastique! Nicolas filait d'un pneu à l'autre, beaucoup plus vite qu'au début. Aaron s'exerçait à faire des tractions à la barre fixe, mais il n'était pas encore très bon. Et Laurence, sur son vélo, contournait des pierres qu'elle avait disposées en guise de cônes. Je n'en revenais pas de voir à quel point elle était rapide. Elle prenait tous les virages avec assurance, en restant parfaitement droite. Mais les Rats de Rivière étaient là aussi. Ça, ce n'etait pas fantastique. Mais ils ne dérangeaient personne. Ils étaient sur les grimpeurs.

– Hé, Mamille! a crié Laurence en agitant le bras pour me faire signe d'approcher. Regarde ça!

Elle a fait le parcours encore une fois entre les pierres, en prenant des virages très serrés.

– C'est pas mal, hein?

– C'est super! Je parie que c'est toi qui vas gagner l'épreuve. Il n'y a personne qui fait ça mieux que toi.

J'ai jeté un coup d'œil vers les grimpeurs.

– Je vois qu'on a de la visite, ai-je dit à voix basse, en hochant la tête en direction de Carl, Olivier et Olivia.

– Je ne vais sûrement pas les laisser gâcher ma journée. Il suffit de ne pas s'en occuper, a suggéré Laurence. Ils ne nous feront rien. Il y a bien trop de monde.

Pourvu qu'elle ait raison... J'ai regardé en direction de Carl. Il s'est balancé un bon moment sur les grimpeurs, et puis il a sauté par terre et s'est dirigé vers une autre structure. Olivier le suivait de près – sur les grimpeurs, par terre, puis vers les balançoires. « On dirait son ombre », me suis-je dit. Puis, Olivia a voulu faire comme eux. Elle était rendue à peu près à la moitié des grimpeurs quand elle a lâché prise. Elle a poussé un cri et elle est tombée lourdement par terre. Et elle est restée là, sans bouger.

Je n'ai pas pensé au fait que c'était un Rat de
Rivière. Je n'ai pas pensé à Carl et à toutes ses
méchancetés. Je n'ai pas pensé à grand-chose, en
fait. Tout s'est passé tellement vite! J'ai sauté de
mon vélo et je me suis précipitée à l'autre bout du
parc. Je me suis agenouillée à côté d'Olivia. Elle
était toute pâle, ses grands yeux bruns écarquillés
comme des soucoupes.

– Ça va? ai-je demandé.

Olivia m'a regardée et a hoché la tête lentement. Je voyais bien, à l'expression de son visage, qu'elle était étonnée de me voir là, à genoux à côté d'elle. Je lui ai pris la main et j'ai tiré lentement pour l'aider à se relever.

– Merci, a-t-elle dit.

Elle semblait un peu remise de sa surprise.

– Liv! a crié Olivier

Il a traversé la pelouse à toute vitesse et s'est arrêté à côté de moi sans rien dire. Il était hors d'haleine et cherchait à reprendre son souffle. Il est resté là à regarder Olivia jusqu'à ce que sa respiration reprenne un rythme normal.

– T'es-tu fait mal? a-t-il demandé.

– Non, non, ça va, Ollie. Vraiment, a répondu Olivia. Mes mains ont glissé, mais ce n'est rien de grave. Aïe! a-t-elle ajouté en gémissant et en se massant l'arrière-train, sauf que j'ai mal au derrière!

Olivier s'est tourné vers moi. Bon, ça y est! Allait-il m'appeler « Mamille la Gorille »? Me dire de m'occuper de mes oignons? Ou peut-être me pousser en me disant d'aller au diable. Mais non. Très lentement, il a articulé un mot que je ne m'attendais pas du tout à entendre de sa part. Il m'a dit « merci ».

Chapitre 12

Le jour du Défi sportif communautaire de Bélair était enfin arrivé. Il faisait un temps idéal, ni trop chaud, ni trop froid. Je me sentais tout à fait prête pour la compétition. Je savais que je pouvais faire la course dans les pneus en un temps record. Et que j'étais capable de traverser les grimpeurs aussi vite que Julien. Je n'envisageais donc aucun problème... sauf peut-être le parcours d'obstacles en vélo. Ça m'a fait penser au prix qui serait remis au gagnant : le vélo X-Trême. Ce serait vraiment super si je pouvais le gagner!

Je suis arrivée au parc à 9 h 45 précises. La compétition allait commencer dans quinze minutes. La première personne que j'ai vue, c'est Claire. Elle était tellement excitée qu'on aurait dit qu'elle vibrait de la tête aux pieds.

– Je ne peux pas croire que c'est aujourd'hui, a-t-elle dit. Il y a longtemps que je suis réveillée! Qui est-ce qui va gagner, d'après toi?

Mais avant que j'aie le temps d'ouvrir la bouche, elle s'est écriée :

– Regarde! Voici Julien et Aaron. Oh! Et puis Laurence et Thomas! Allons les rejoindre.

Elle parlait à toute vitesse.

Je n'ai même pas eu le temps de placer un mot. Elle a sauté sur son vélo et elle s'est élancée vers eux.

– Attends-moi! ai-je crié.

Quelques minutes plus tard, quelqu'un a fait une annonce dans un porte-voix.

– J'invite tous les participants au Défi sportif de Bélair à se réunir près du parcours de pneus. La compétition va bientôt commencer.

Tout le monde s'est réuni près du parcours de pneus, et quand je dis « tout le monde », je veux dire « tout le monde »! Il y avait Carl, Olivia et Olivier,

et toute une bande de jeunes que je ne connaissais pas. On a dû faire la queue pour avoir des cartes de pointage. Puis, un homme de grande taille, avec une grosse moustache, a levé la main pour réclamer le silence.

– Les enfants, je vous souhaite à tous la bienvenue au premier Défi sportif annuel de Bélair. Les épreuves d'aujourd'hui devraient être très amusantes. Et nous avons des prix extraordinaires, a-t-il ajouté en montrant un vélo X-Trême vert, avec un casque vraiment cool et une bouteille argentée. Et maintenant, voici comment nous allons procéder. Vous allez amasser des points pour chacune des épreuves auxquelles vous allez participer. Nous ferons ensuite le total de ces points, et le participant qui aura obtenu le plus de points sera notre grand gagnant. C'est simple, hein?

J'ai jeté un coup d'œil autour de moi. Certains des jeunes hochaient la tête. D'autres regardaient le vélo.

– Alors, allons-y, a poursuivi l'homme à la moustache. Nous allons commencer par la course dans les pneus.

Aaron a fait la course à toute vitesse, comme s'il était poursuivi par un chien enragé. Il a remporté l'épreuve haut la main. On a fait inscrire nos points et on s'est dirigés vers les grimpeurs. Julien a battu son record avec facilité – on aurait dit qu'il volait sous les barres. Ensuite, on a fait des tractions. Je me suis rendue à neuf. J'étais très fière de moi! C'était plus que Thomas, et plus que tous les autres jusqu'ici. Quand est arrivé le tour de Carl, j'ai regardé pour voir s'il arriverait à me battre. Il s'est rendu à six, puis il s'est laissé tomber par terre avec un grognement. Il était en sueur, le visage rouge comme une tomate. Ouais! Je l'avais battu! J'étais au septième ciel.

Jusque-là, j'avais amassé un total de trente-sept points. Julien m'a mis sa carte de pointage sous le nez.

– Regarde combien j'ai de points, a-t-il dit avec un grand sourire.

Il avait trente-deux points, ce qui le mettait en deuxième place parmi les élèves de Grande-Baie.

– C'est super, Julien! ai-je dit. C'est amusant, hein?

Mais Julien ne m'a pas répondu. Il m'a plutôt donné un petit coup de coude.

– Regarde qui arrive.

Les Rats de Rivière étaient devant moi. Tous les trois. Carl s'est penché tout près de mon visage. J'ai vu qu'il avait mangé du beurre d'arachides au déjeuner. Il avait une tache brune sur le menton. Ça m'a fait penser aux crottes de chenilles, ce qui m'a fait sourire.

– Qu'est-ce qui te fait sourire, Mamille la Gorille? a-t-il aboyé.

Avant que je comprenne ce qui m'arrivait, il a saisi ma carte de pointage.

– Je parie que j'ai plus de points que toi, a-t-il dit.

– Redonne-moi ça, ai-je crié, mais Carl a caché la carte derrière son dos.

– Il faudra me la prendre de force, a-t-il ajouté d'un air de défi.

Il a levé la carte bien haut au-dessus de sa tête.

J'ai bondi pour l'attraper, mais mes bras n'étaient pas assez longs. Il a plissé les yeux pour regarder combien j'avais de points. Puis il a froncé les sourcils.

– Quoi? a-t-il crié. Tu as trente-sept points? C'est impossible. J'en ai trente-six et je suis mille fois meilleur que toi.

Laurence, Aaron et Julien se sont approchés de moi. Carl m'a lancé ma carte avec un sourire méchant.

– Il ne reste qu'une épreuve, Mamille la Gorille. Celle du parcours d'obstacles en vélo. Tu peux dire adieu à ton vélo neuf. Celui-là, il est à moi!

Pendant une seconde, j'ai eu un coup au cœur. J'étais en bonne posture, mais c'était quand même inquiétant. Bien sûr, j'étais en première place, même si j'étais presque à égalité avec une grosse brute. Mais il ne restait plus que la course en vélo. Je m'étais exercée tous les jours sur le vélo de Laurence, et ensuite sur mon propre vélo, dont mon père avait enlevé les petites roues. Aujourd'hui, j'allais me servir de mon vélo à moi. Mais je ne réussirais sûrement pas à battre Carl. Je l'avais vu faire le parcours sans toucher un seul cône. Il était rapide, et il était très bon.

J'en ai regardé beaucoup faire le parcours. Ensuite, c'était au tour de Laurence. Elle a été formidable! Elle a eu dix points! Les juges ont commencé à annoncer les nouveaux totaux. J'ai croisé les doigts. Mais Laurence n'avait pas très bien réussi les autres épreuves. J'étais donc toujours en avance – et Carl était juste derrière moi.

Une fois mon tour venu, j'ai respiré à fond. Serais-je capable de contourner les dix cônes sans en faire tomber un seul?

Chapitre 13

« Concentre-toi, tu en es capable! » C'est ce que je me suis dit en poussant sur ma pédale droite. Mon genou gauche est allé effleurer la poignée. J'ai contourné le premier cône orangé. Puis le deuxième. « Concentre-toi. » J'ai senti mon vélo vaciller. Oh, non! J'ai frôlé le troisième cône. Du coin de l'œil, je l'ai vu branler. « S'il te plaît, cône, ne tombe pas! » Mais il est tombé! Mon vélo vacillait toujours. « Tu en es capable », me suis-je dit. Le quatrième cône est tombé à son tour. Je n'avais plus aucune chance de remporter la compétition. J'étais certaine que Carl, lui, ne ferait pas tomber un seul cône. J'en ai eu les larmes aux yeux. Tout ce travail pour rien! Tout à coup, j'ai eu très envie d'abandonner. Mais je me suis rendu compte que Carl me surveillait. Il souriait d'un air satisfait, comme s'il avait déjà

gagné le vélo X-Trême. Je n'allais pas me laisser faire! Je me suis mise à pédaler plus fort, et un peu plus vite. Enfin, mon vélo s'est stabilisé. J'ai réussi à contourner les autres cônes sans en renverser aucun, ce qui voulait dire que j'avais amassé un total de huit points. Mon pointage final était donc de quarante-cinq, et c'était maintenant au tour de Carl.

Il lui fallait seulement neuf points pour gagner. Pour lui, ce serait une bagatelle. J'étais à peu près certaine qu'il aurait pu rouler les yeux bandés sans renverser un seul cône. Il a fixé longuement le parcours d'obstacles. Je voyais qu'il se concentrait sérieusement, sans regarder les spectateurs. Puis, il s'est mis à pédaler. Il a contourné un cône. Puis deux. Puis trois. Quatre. Cinq. Six. Il était rendu au septième cône. Il ne pouvait pas perdre. Il est passé devant moi. La mort dans l'âme, je l'ai vu s'approcher de la ligne d'arrivée. C'était fini.

Carl s'est approché du huitième cône. Tout en le contournant, il a tourné la tête vers moi. Il m'a souri, puis il m'a tiré la langue. Grave erreur! Quand il s'est retourné, il était presque rendu au neuvième cône. Il a freiné sec pour pouvoir le contourner. Trop tard! Le cône s'est renversé. Carl a viré à gauche, puis à droite pour essayer de reprendre la maîtrise de son vélo. Il était maintenant rendu au dixième cône. Le vélo a glissé, et il est passé en plein dessus! Il n'avait donc amassé que huit points. J'avais gagné!

Mon cœur battait très fort. Je me suis mise à sauter sur place.

– Yééé! ai-je crié.

– Bravo, Mamille! a dit Laurence en souriant. Tu méritais de gagner.

– C'est tant pis pour lui, il n'avait qu'à se tenir tranquille, a ajouté Nicolas en hochant la tête en direction de Carl.

Moi aussi j'ai regardé dans sa direction. Il semblait de très mauvaise humeur. Il a sauté de son vélo et l'a jeté par terre. Puis il s'est dirigé d'un pas lourd vers Olivia et Olivier.

– Pas vraiment l'esprit sportif, a marmonné Nicolas.

Je me suis rappelé tout ce que Carl avait fait. Il avait cherché à intimider tout le monde, il m'avait appelée par un nom méprisant, il avait essayé de baisser mon pantalon. À cause de lui, j'avais eu les genoux en sang et les mains égratignées. J'étais un tout petit peu désolée pour lui parce qu'il s'était comporté de façon stupide pendant la course. Il était nettement meilleur que moi, en réalité. Mais en même temps, j'étais très excitée. J'avais remporté le Défi sportif parce que j'avais travaillé fort, et j'avais bien mérité ma victoire. Je savais que ce serait super de rouler avec mes amis sur mon nouveau vélo X-Trême.

Laurence m'a donné un petit coup de coude, le sourire fendu jusqu'aux oreilles. Elle m'a montré du doigt l'homme qui tenait le mégaphone. Il était debout à côté du vélo le plus « cool » du monde entier. Et puis, il a annoncé bien fort, pour que tout le monde puisse entendre :

– Et la gagnante du premier Défi sportif annuel de Bélair est... Marie-Camille Wilson!

Chapitre 14

Le lundi, j'aurais bien voulu me rendre à l'école sur mon tout nouveau vélo X-Trême, mais c'était beaucoup trop loin. J'ai donc pris l'autobus, comme tous les jours. Mais je savais exactement ce que j'allais faire en rentrant à la maison : faire un tour de vélo bien entendu!

En arrivant dans la classe, j'ai tout de suite senti qu'il se passait quelque chose. Mme Martin avait l'air tout énervée. C'était étrange, parce qu'elle ne s'énerve jamais! En fait, tout le monde semblait très excité. Il y avait tout un groupe d'élèves à la fenêtre. Ils parlaient tous en même temps.

– En voici un!

– Et un autre!

– Il y en a cinq ici!

J'ai regardé Mme Martin.

– Qu'est-ce qui se passe? ai-je demandé, encore dans l'embrasure de la porte de la classe.

Elle m'a regardée, l'air complètement paniquée.

– Vite! Vite! Ferme la porte, Marie-Camille. Il ne faut pas les laisser sortir!

– Laisser sortir quoi? ai-je demandé.

– Les papillons, a-t-elle répondu, affolée. Ils ont tous éclos pendant la fin de semaine, et maintenant, ils se promènent dans la classe. La plupart sont sur le rebord de la fenêtre, mais regarde bien où tu marches. Il y en a partout!

– Hé, Mamille, viens ici! a crié Laurence. On a besoin d'aide!

Laurence a ramassé très délicatement une Belleame posée sur le rebord de la fenêtre et l'a placée dans une boîte de carton recouverte d'un filet.

– Et maintenant, regarde bien! a-t-elle dit.

Elle a ramassé un autre papillon et a tendu la main. Le papillon s'y est installé et a commencé à battre des ailes très lentement.

– C'est génial, hein?

Quand on a eu fini d'attraper tous les papillons, c'était presque l'heure de la récré.

– Eh bien, les enfants, a dit Mme Martin, je pense que notre projet de sciences est un succès. Tous ensemble, nous avons eu quarante-cinq Belles-Dames. Nous allons les libérer dans la forêt après la récréation.

Aaron s'est tourné vers moi.

– Quarante-cinq papillons! a-t-il répété. C'est bien le nombre de points que tu as amassés au Défi sportif?

J'ai hoché la tête.

– Je te félicite d'avoir gagné la compétition, a dit Aaron. J'imagine que c'est un chiffre que tu n'oublieras pas.

– Non, jamais, ai-je reconnu.

* * *

La libération des papillons a été extraordinaire. Au début, il y en a seulement quelques-uns qui sont sortis de la boîte. On aurait dit qu'ils ne voulaient pas nous quitter. Puis, un par un, ils ont déployé leurs ailes et ils sont partis. Je suis restée parfaitement immobile pendant qu'une Belle-Dame est venue tournoyer autour de ma tête. Puis, elle s'est éloignée et est allée se poser tout doucement sur la joue de Laurence. Je me suis mise à rire. Ça m'a rappelé le jour où j'avais mis une chenille sur le visage de Carl. Mais ceci était beaucoup plus amusant!

Certains des papillons se sont éloignés, et on les a perdus de vue. Ceux qui sont restés semblaient savoir d'instinct où trouver des chardons. Ils voletaient de plante en plante, tout autour de nous. On aurait dit qu'ils faisaient leur propre parcours d'obstacles. Mais la récompense, cette fois, ce ne serait pas un nouveau vélo. Et ce ne serait pas pour une seule personne. Tous les élèves de Grande-Baie pourraient en profiter. J'étais à peu près sûre que, très bientôt, il y aurait une foule d'œufs de papillons sur les plantes. Et qu'on accueillerait d'ici peu une nouvelle famille de Belles-Dames.